W9-DHX-485

ГАЛИНА БРАИЛОВСКАЯ

ЖИЛИ-ДРУЖИЛИ

Художник
Сюзанна Бялковская

РЕЧЬ

Санкт-Петербург — Москва
2015

ДАВАЙ ПОЗНАКОМИМСЯ

Жила-была Бабушка.

Волосы у Бабушки — в серебряных колечках. Глаза у Бабушки — строгие. Ходит Бабушка быстро. И весело улыбается, когда все дружат!

Был у Бабушки внук.

Звали его Андрейка-Воробейка. Почему? Потому что он любил прыгать сразу на обеих ножках. Вот так:

Прыг-скок! Прыг-скок!

И была у Бабушки внучка.

Звали её Натала-Напевала. Почему? Потому что она любила петь. Вот так:

Ля-ля! Тра-ля-ля!

Летом они жили в деревне.

Вот здесь! Видишь — забор. Видишь — калитка. За калиткой — сад. В саду — дорожка...

А дом где?

Во-он там, в саду, где дорожка кончается. Вот крыльцо. Вот окна. А стены?

Стен за вьюнками не видно!

Вьются вьюнки по ниточкам — от земли до крыши. Листья длинные, с острыми кончиками. А цветы — колокольчики: розовые, белые, лиловые. Красивые вьюнки!

А это кто на крыльце?

Щенок! Белый, пушистый. Такой пушистый — глаз не видно! Зовут щенка Лай-Виляй. Почему? Потому что он любит хвостом вилять и лаять. Вот так:

Ваф! Ваф-ваф!

А на крыше кто?

Кот! Разлёгся на солнышке у трубы. Шёрстка у кота разноцветная: белая, коричневая, чёрная. Глаза — зелёные огоньки. Зовут кота Мур-кот. Почему? Потому что он любит мурлыкать. Вот так:

Муррр... Муррр...

Жили-дружили

Андрейка, Натала и Лай-Виляй. Вместе играли. Вместе шалили. И всем было очень весело.

А Мур-кот?

Он важно бродит по двору один. Лазит по крышам. Сердито смотрит на всех зелёными глазами. И ласкается только к Бабушке. Вот какой Мур-кот!

Ещё был у Андрейки конь!

Весь чёрный. А звали его Конище-Огонище! Потому что грива у коня золотая. И хвост золотой. И глаза — как огонь. А ржал он вот так:

И-и-го-го-о!..

ВСЕМ ДОСТАЛОСЬ

Андрейка смелый!

Он не боится скакать на коне. И Наталу зовёт. Натала за Андрейку ухватилась. Натянул Андрейка уздечку.

— Н-но-о!..

Конище-Огонище:

— И-и-го-го-о!..

И помчались!

Гоп!.. Гоп!..

Скачет конь! Лай-Виляй прыгает вокруг:

— В-ваф! Ваф!..

А Натала кричит:

— Ай-ай! Боюсь!

Рассердился Андрей:

— Ты не Натала-Напевала, ты — Наташка-бояшка!

— А ты плохой мальчишка! И Виляй плохой! Не буду с вами играть! — плачет Натала.

Бабушка хмурится.

Натала говорит:

— Это Андрейка. Он коня разогнал!

Андрейка говорит:

— Это Натала. Она не умеет на лошади скакать!

А Лай-Виляй смотрит на Бабушку да только:

— Ваф! Ваф!

Он ведь разговаривать не умеет!

Рассердилась Бабушка.

— Ну-ка, садись на стул! — велит Андрейке. — Ты зачем коня гонишь, если сестрёнка боится?

— Ну-ка, садись на стул! — велит Бабушка Наталке. — Зачем на коня садишься, если страшно?

И Лаю-Виляю досталось:

— Чего растяфкался? Ну-ка, марш под кровать!

Не любит Бабушка, когда ссорятся...

Пф... пфхи! Чхи!

Кто чихнул?

Наталка? Нет. Андрейка? Нет...

Пффу! Фхи!..

— Слышишь, Наталка? Это — Лай... Правда, смешно? — шепчет Андрейка.

А Натала губы надула, отвернулась.

— И я так могу... — шепчет Андрейка. — А-а-пчхи!..

— Не так, — говорит Натала, — он вот как: пфхи!

Услышала Бабушка:

— Кто чихает? Кто простудился?

А из-под кровати опять: пхи!..

Андрейка поглядел на Наталу — засмеялся. Натала на Андрейку поглядела — засмеялась.

И Бабушка поглядела на Андрейку с Наталой — тоже засмеялась:

— Вот кто простудился! Виляй!

А Виляй кончиком хвоста из-под кровати вильнул и тяфкнул.

— Ну ладно уж, вылезай! — говорит Бабушка Виляю.

И Наталке с Андреем позволила со стульев встать.

— Наскучались? — спрашивает.

— Наскучались!

— То-то! — погрозила Бабушка. — Нельзя ссориться!

БАБА-ЯГА

Хорошо в саду!

Уселись Натала с Андрейкой под орешником.
Книжку с картинками смотрят. И Виляй смотрит.
Натала показала Виляю картинку:

— Это Баба Яга-костяная нога!

— Она злющая-колющая! — говорит Андрейка. —
Гони её, Виляй!

Вскочил Виляй. Одно ухо — торчком, голова —
набок. Понюхал картинку:

Ррры… ррр… ры!..

Рады Андрейка с Наталой: мо-
лодец Виляй, понял!
— Давай и мы Бабу Ягу прого-
нять! — придумала Натала.
Андрейка говорит:
— Баба Яга в сказке!
— Давай в сказку играть!
— Ну, давай!
Бегают Натала с Андрейкой по саду:
— Эй, Баба Яга, выходи!
Залезли под крыльцо:
— Эй, костяная нога, уходи!
Вдруг слышат: Виляй лает!
— Он сердито лает! — говорит Натала.
— Наверное, случилось что-то! — говорит Ан-
дрейка.
Вылезли из-под крыльца, побежали к Виляю...

Вот что случилось:

Виляй всю книжку истрепал! Страничку с Бабой Ягой зубами в куски рвёт, рычит.

— Ай-ай... Виляй ты, Виляй...

— Плохой Виляй!

— Почему плохой? — спрашивает Бабушка.

— А он вот что сделал! Его наказать надо!

Качает Бабушка головой. На Андрейку глядит. На Наталу глядит.

— Жалко книжку. Кто ж её на место не прибрал?

Молчат Андрейка с Наталой.

— Кто её в траве оставил?

Молчат Натала с Андрейкой... Собрали истрёпанные странички.

Тихо-тихо на террасу ушли...

МОЛОДЕЦ, АНДРЕЙКА!

Что за ящик?

Андрейкин ящик. А что в ящике? Андрейкины инструменты! Вот молоток — гвозди забивать. Вот клещи — гвозди выдёргивать. И для шурупов — отвёртка. А если в доске дырочку нужно просверлить, возьми дрель, вставь свёрлышко:

Дрррр!.. И готово!

Сидит Андрейка, придумывает: «Что бы смастерить?..»

А Натала где?

За столиком сидит, цыплёнка из пластилина лепит.

Стоит цыплёнок — жёлтый, круглый, на зелёной подставке.

— Пойду Бабушке покажу! — говорит Натала.

Стала со стула вставать — сарафан зацепила. Стала сарафан отцеплять:

— Ой! Больно!

— Где больно? — вскочил Андрейка.

Натала царапину на пальце показывает:

— Это гвоздь! Вон в стуле торчит!

— Не плачь, Натала! — говорит Андрей.

Взял молоток: тук-тук! Тук-тук-тук!..

— Вот и нет гвоздя! Садись, Натала.

Ай да Андрейка! Мастер Андрейка!

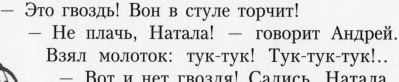

НАСТОЯЩАЯ ПОРТНИХА

Сидит в коляске Кукла…

Говорящая Кукла. Станет ложиться: «Ма-ма!..»
Станет вставать: «Па-па!..»
Волосы у Куклы кудрявые. В кудрях — бант!
А платья на Кукле нет!
Чья это Кукла? Наталкина Кукла.

Кто Кукле платье сошьёт?

Натала сошьёт!

Стала Натала платье шить.
Кроила-выкраивала, шила-сшивала…
Что получилось? Ничего не получилось!

Огорчилась Натала:

— Не буду шить!

Ножницы не режут! Нитка запутывается! Иголка пальцы колет!

— Ай-ай!— говорит Бабушка. — Вот какие пальцы непослушные! Давай-ка их проучим, к делу приучим. Иди сюда!

Села Натала возле Бабушки.

Бабушка очки надела:

— Ну-ка, Наталкины руки, учитесь иголкой да ножницами командовать. Вот так лоскуток сложите! Вот так ножницы держите! Вот сюда иголку вкалывайте!..

Старается Натала. Шьёт-сшивает…

Что получилось?

— Бабушка! Платье получилось!

Нарядила Натала Куклу в новое платье. Голубой лентой подпоясала. Андрейка смотрит — удивляется:

— Вот так платье! Красивое платье! Вот так Натала!

Настоящая портниха!

В ЛЕСУ

Через речку, через мостик!
Через речку, через мостик!

Громко, на весь лес, поют Натала с Андрей-кой.

Мостик — железный. Ступишь на него, а он — дро-дро-до-дом!.. Дром-дро-до-ром!..

Речка под мостиком — узенькая, мелкая. А купаться в ней нельзя: ключевая, холодная речка Медвенка!

Сколько цветов!

Столько разных цветов на лужайке, за реч-кой — даже Бабушка не знает, как они все называются! Трава на лужайке высокая: при-сядешь — и нет тебя! А вокруг лужайки — густая черёмуха.

Бабушка в холодке, под черёмухой книжку читает.

А Наталке с Андрейкой что делать?

— Давай в прятки? — говорит Натала.

— Давай!

Стали считаться:

> Я не лебедь, я не гусь,
> Я щекотки не боюсь!

Наталке водить! Присела у пенька, зажмурилась, стала считать:

> Пора не пора,
> Иду со двора!

Открывает глаза, оглядывается — не видно Андрейки. Лужайку обошла — нет Андрейки.

А это что за сломанной берёзой голубое?.. Андрейкина майка. Обрадовалась Натала:

— Вижу! Вижу! Палочка-выручалочка, выручи меня!

Андрейке водить!

Закрыл Андрейка глаза, а Натала стоит, придумывает: куда спрятаться? Сарафан у Наталки — пёстрый. Бантик у Наталки — красный.

За дерево спрятаться — найдёт Андрейка... А где не найдёт?

Нигде не может найти Андрейка Наталу! Нигде не видно пёстрого сарафана, нигде не выглянет красный бант! Искал-искал Андрей — не нашёл. Звал-звал — не откликается Натала. Испугался Андрейка.

— Бабушка, Наталка пропала!

— Как пропала?

— Совсем пропала!

Стала бабушка сама Наталу искать — нет Наталки!

Стала звать — не откликается Наталка!

Испугалась Бабушка:

— Что делать? Скоро вечер, домой пора, а Наталки нет! Кто Наталку найдёт?

— Виляй найдёт! — догадался Андрей. — Виляй найдёт, я за Виляем побегу!

— А дорогу знаешь? — заволновалась Бабушка.

— Знаю!

— А не заблудишься?

— Не заблужусь! И Медвенку по камешкам перейду, тут ближе!

— Ну, беги!

Под горку! К Медвенке!

Бежит Андрейка.

Вот они, камешки!

Ступил на один — качается...

Ступил на другой — и этот качается... Как перейти?

А вот как!

Нашёл крепкую палку Андрейка. Стал на палку опираться да с камешка на камень… с камешка на камень…

Осторожно переступает. Вот и Медвенка вся. Спрыгнул Андрейка на песок, а тут — тропинки. Бегут в разные стороны, как тонкие веточки. Какая в деревню ведёт?

Все одинаковые…

Стоит Андрейка, думает: какая правильная? Вдруг слышит: ммууу… ммууу… Обрадовался Андрейка: это пастух стадо в деревню гонит.

Вот куда надо идти!

Вот она — правильная тропинка.

Побежал — вот и сосенки-двойняшки знакомые. За ними — дорога широкая. За дорогой — деревня.

А по дороге пыль серым облаком катится... Стадо близко.

Скорее!

Подойдёт стадо — как дорогу перейдёшь? Во весь дух мчится Андрейка. Добежал до дороги — и стадо тут.

— Ммууу... — над самым Андрейкиным ухом...

— Фррр... — белая рогатая морда над самой Андрейкиной макушкой...

Страшно!

А Натала?..

— Ну и фыркай! — рассердился Андрей. — Думаешь, боюсь?

Шагнул.

Вот и деревня!

Позади дорога. А вот калитка. А на крыльце Виляй растянулся.

— Виляй, Наталка пропала! — кричит Андрей.

— Бежим скорее!

Вскочил Виляй, прислушался: вдруг тявкнул да как помчится на улицу! Еле поспевает за ним Андрейка!

КРАСНЫЙ МАК

Ищи, Виляй, Наталку! Ищи!

Нюхает Виляй траву, отфыркивается. Опять нюхает. То в одну сторону кинется, то в другую — следы Наталкины ищет. Волнуется.

И вдруг…

Со всех четырёх лап — через лужайку, к лесу. Андрейка — за ним, а сзади — Бабушка.

— Ой, Бабушка, смотри! — кричит Андрейка. — Глупый Виляй. Надо Наталу искать, а он мак нюхает... Смотри — вот самый большой, яркий ухватил...

Смотри, Бабушка!

Сердится Андрейка на Виляя, а Бабушка улыбается:

— Вижу. Умница наш Виляй. Ведь это не мак, Андрюша...

— Не мак? — удивляется Андрейка. — А что он в зубах держит?

— Это... — сказала Бабушка, но тут Андрейка захлопал в ладоши.

— Догадался! Догадался! Это Наталкин красный бант!

А где же Натала?

А вот и Натала! Сидит в высокой траве, глаза кулаком трёт.

И Виляй рядом. Очень гордо на всех смотрит.

Гладит Бабушка Виляя:

— Молодчина! Нашёл Наталку!

— А ты что же не откликалась? — строго спрашивает Наталку Бабушка.

— А я не слышала. Я на божью коровку смотрела-смотрела, а потом спать захотела.

— А почему ты не находилась? — спрашивает Андрейка. — Я искал-искал!

— Я в траву спряталась! В траве всё разноцветное, и сарафан у меня разноцветный. Маки красные, и бант у меня красный. Вот никто меня и не нашёл!

Довольна Наталка, смеётся, поёт вот так:

Ля-ля! Тра-ля-ля!

И все рады:

не пропала Натала-Напевала, ничего с ней не случилось!

Андрейка-Воробейка сразу на обеих ножках прыгает, вот так:

Прыг-скок! Прыг-скок!

Лай-Виляй во всю мочь хвостом виляет и звонко-презвонко лает.

Вот так:

Вваф! Авваф-ваф!

А когда домой возвращались, железный мостик под ногами весело тарахтел на все лады, вот так:

Дррам-дра-дадам!
Дром-до-дром-бом!

И мы рады, что всё кончилось хорошо, правда?

ТИШЕ...

Наталкины куклы спят... Вот их кроватка. С одного края Говорящая спит. Посерединке — Малышок-Голышок. А кто же это с другого края? Чьё ушко в серой шёрстке с подушки свесилось? Как ты думаешь?

Ну конечно, тут Зайчонок примостился!
На бочок повернулся — спит...
Это Натала их так уложила, одеялом накрыла.
Вот и Наталка с Андрейкой нагулялись, набегались — тоже спят. И Бабушка натрудилась за день. Устала. Спит Бабушка на своих высоких подушках.

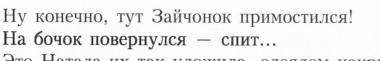

Занавески на окнах ветер ночной колышет...
Сквозь занавески месяц в комнату заглядывает.
Ночь на дворе. Синяя ночь... Тише... В коридоре на коврике Виляй спит. Во сне самым кончиком хвоста пошевеливает. И его не буди.

Только Мур-кот не спит: притаился в кухне, в углу, смотрит, чтобы мыши из норки не вылезали, хлеб не грызли.
И Мур-коту не мешай.
Тише...
Ведь и тебе, наверно, пора спать?
С п о к о й н о й   н о ч и !..